Morris, un génie du neuvième art !

Le père de Lucky Luke est né en 1923 en Belgique, à Courtrai. Après des débuts dans les studios de dessins animés, il crée Lucky Luke, son univers et les principaux personnages de la série, dont les premières aventures paraîtront dans *L'Almanach de Spirou* en 1947. Il sillonne ensuite, pendant plusieurs années, les États-Unis avec ses amis André Franquin et Joseph Gillain ainsi que les vedettes du magazine satirique *Mad*, Kurtzman, Davis et Wood, tandis que *Lucky Luke* se place très vite au rang des incontournables de la bande dessinée grâce au graphisme simple, expressif et combien efficace de son créateur. Son sens de la formule lui inspirera aussi les expressions "l'homme qui tire plus vite que son ombre" ou "neuvième art".

Dix albums plus tard, il rencontre l'immense René Goscinny qui deviendra son scénariste durant près de 40 tomes. Plusieurs autres se succéderont. La saga du cow-boy solitaire imaginé par Morris rassemble aujourd'hui près de 90 albums. Il a très tôt entretenu une passion dévorante pour le cinéma et l'animation et suivra de près les nombreuses adaptations de son œuvre.

C'est en pleine production des 52 derniers épisodes de dessins animés, *Les Nouvelles Aventures de Lucky Luke*, que Morris décède le 16 juillet 2001. Il demeure pour toujours l'un des monstres sacrés de la bande dessinée. Ses personnages et son univers sont, eux, devenus éternels.

* Caricature de Morris dessinée par l'artiste lui-même.

SÉRIE LUCKY LUKE

AUX ÉDITIONS DUPUIS

- LA MINE D'OR DE DICK DIGGER
- RODÉO
- ARIZONA
- SOUS LE CIEL DE L'OUEST
- LUCKY LUKE CONTRE PAT POKER
- HORS-LA-LOI
- L'ÉLIXIR DU DOCTEUR DOXEY
- PHIL DEFER
- DES RAILS SUR LA PRAIRIE
- ALERTE AUX PIEDS-BLEUS
- LUCKY LUKE CONTRE JOSS JAMON
- LES COUSINS DALTON
- LE JUGE
- RUÉE SUR L'OKLAHOMA
- L'ÉVASION DES DALTON
- EN REMONTANT LE MISSISSIPI
- SUR LA PISTE DES DALTON
- À L'OMBRE DES DERRICKS
- LES RIVAUX DE PAINFUL GULCH
- BILLY THE KID
- LES COLLINES NOIRES
- LES DALTON DANS LE BLIZZARD
- LES DALTON COURENT TOUJOURS
- LA CARAVANE
- LA VILLE FANTÔME
- LES DALTON SE RACHÈTENT
- LE 20E DE CAVALERIE
- L'ESCORTE
- DES BARBELÉS SUR LA PRAIRIE
- CALAMITY JANE
- TORTILLAS POUR LES DALTON

CHEZ LUCKY COMICS

- LA DILIGENCE
- LE PIED-TENDRE
- DALTON CITY
- JESSE JAMES
- WESTERN CIRCUS
- CANYON APACHE
- MA DALTON
- CHASSEUR DE PRIMES
- LE GRAND DUC
- LE CAVALIER BLANC
- L'HÉRITAGE DE RANTANPLAN

- LA GUÉRISON DES DALTON
- L'EMPEREUR SMITH
- LE FIL QUI CHANTE
- 7 HISTOIRES DE LUCKY LUKE
- LE MAGOT DES DALTON
- LA BALLADE DES DALTON
  ET AUTRES HISTOIRES
- LE BANDIT MANCHOT
- SARAH BERNHARDT
- LA CORDE DU PENDU
- DAISY TOWN
- FINGERS
- LE DAILY STAR
- LA FIANCÉE DE LUCKY LUKE
- NITROGLYCÉRINE
- LE RANCH MAUDIT
- L'ALIBI
- LE PONY EXPRESS
- L'AMNÉSIE DES DALTON
- CHASSE AUX FANTÔMES
- LES DALTON À LA NOCE
- LE PONT SUR LE MISSISSIPPI
- KID LUCKY
- BELLE STARR
- LE KLONDIKE
- O.K. CORRAL
- OKLAHOMA JIM
- MARCEL DALTON
- LE PROPHÈTE
- L'ARTISTE PEINTRE
- LA LÉGENDE DE L'OUEST

SÉRIE LES AVENTURES DE LUCKY LUKE

D'APRÈS MORRIS
CHEZ LUCKY COMICS

- LA BELLE PROVINCE
- LA CORDE AU COU
- L'HOMME DE WASHINGTON
- LUCKY LUKE CONTRE PINKERTON
- CAVALIER SEUL
- LES TONTONS DALTON
- LA TERRE PROMISE

SÉRIE RANTANPLAN

CHEZ LUCKY COMICS

- LA MASCOTTE
- LE PARRAIN
- RANTANPLAN OTAGE
- LE CLOWN
- BÊTISIER 1
- BÊTISIER 2
- LE FUGITIF
- BÊTISIER 3 : MIRAGE DANGEREUX
- LE MESSAGER
- LES CERVEAUX
- LE CHAMEAU
- BÊTISIER 4 : CHIEN DES CHAMPS
- LE GRAND VOYAGE
- BÊTISIER 5
- LA BELLE ET LA BÊTE
- BÊTISIER 6 : LE NOËL DE RANTANPLAN
- BÊTISIER 7 : SUR LE PIED DE GUERRE
- BÊTISIER 8 : CHIEN D'ARRÊT
- BÊTISIER 9 : MORTS DE RIRE
- BÊTISIER 10 : CARRÉ D'OS

SÉRIE LES AVENTURES DE KID LUCKY

D'APRÈS MORRIS
CHEZ LUCKY COMICS

- L'APPRENTI COW-BOY
- LASSO PÉRILLEUX
- STATUE SQUAW

HORS COLLECTION

- LA BALLADE DES DALTON
  (L'ALBUM DU FILM)
- MORRIS VOUS APPREND
  À DESSINER LUCKY LUKE
- L'UNIVERS DE MORRIS
- LA FACE CACHÉE DE MORRIS
- TOUS À L'OUEST (L'ALBUM DU FILM)
- LE CUISINIER FRANÇAIS
- L'ART DE MORRIS

LES AVENTURES DE **LUCKY LUKE** D'APRÈS MORRIS

LA TERRE PROMISE

Dessin : ACHDÉ
Scénario : JUL
d'après MORRIS

Couleur : MEL

© LUCKY COMICS 2016
PREMIÈRE ÉDITION
DÉPÔT LÉGAL : NOVEMBRE 2016
ISBN : 978-2884-71369-6

IMPRIMÉ SUR UN PAPIER ISSU DE FORÊTS
GÉRÉES DURABLEMENT
IMPRIMÉ ET RELIÉ EN FRANCE PAR PPO GRAPHIC,
91120 PALAISEAU.

LA TERRE PROMISE

PARFOIS, JE ME DIS QUE CETTE VIE SOLITAIRE LOIN DES BAVARDAGES INCESSANTS A DU BON...

L'OUEST... LES VASTES ÉTENDUES... LA NATURE...

"LE SILENCE..."

DITES DONC, ELLE EST DRÔLEMENT BONNE CETTE HERBE...

OÙ EST-CE QUE NOTRE COW-BOY NOUS A DÉNICHÉ CETTE MERVEILLE ??

ON EST VERNIES PARCE QUE ÇA DEVIENT DE PLUS EN PLUS DIFFICILE DE TROUVER DU PERSONNEL COMPÉTENT DE NOS JOURS...

ENTRE LA RUÉE VERS L'OR ET LA CONSTRUCTION DU CHEMIN DE FER, TOUT CE QUE LE FAR WEST COMPTAIT DE GARS SOLIDES S'EST VIDÉ D'UN COUP!

JE NE SAIS PAS VOUS, MAIS JE TROUVE QUE CETTE FOIS-CI NOTRE ESCORTE EST VRAIMENT UNE PERLE !

JE ME SOUVIENS D'UNE TRAVERSÉE DU KANSAS AVEC UN ANCIEN COMÉDIEN : MILLE CINQ CENTS MILES À SUPPORTER SES CALEMBOURS, ÇA M'A RENDUE CHÈVRE !

LE PIRE, C'ÉTAIT CE COW-BOY MALCHANCEUX ; AVEC LUI, ON A TOUT EU : CHARGE DE BISONS, FEU DE PRAIRIE, FIÈVRE APHTEUSE ...

TIENS, IL NE RESSEMBLAIT PAS À CE TYPE QUI ARRIVE, LÀ-BAS ?

ATTENDEZ, MAIS ...

MAIS C'EST LUI !!

HÉ !!

AU SECOURS !

MEUH !

MEUH !

PLACE !

FUYONS !

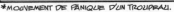
*MOUVEMENT DE PANIQUE D'UN TROUPEAU.

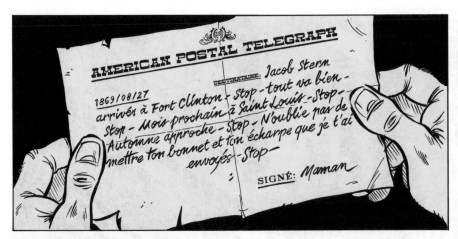

SAINT LOUIS, GRAND PORT FLUVIAL, POINT DE DÉPART POUR TOUTES LES CARAVANES QUI S'APPRÊTENT À AFFRONTER LES DANGERS DE L'OUEST AMÉRICAIN...

BON, BEN MON VIEUX JOLLY, NOUS VOICI AU SEUIL D'UNE NOUVELLE AVENTURE...

U.S. MAIL
SAINT LOUIS

J'ESPÈRE SEULEMENT QUE LA FAMILLE DE JACK EST MOINS MALCHANCEUSE QUE LUI...

J'ESPÈRE SURTOUT QUE CE N'EST PAS CONTAGIEUX !

MESDAMES ET MESSIEURS, J'AI UNE ANNONCE À FAIRE AU NOM DE LA COMPAGNIE DES VAPEURS DU MISSISSIPPI...

DING! DING! DING!

...EN RAISON D'UNE PANNE DE MOTEUR, DOUBLÉE D'UNE ATTAQUE D'ALLIGATORS SUR LE PONT INFÉRIEUR SUITE À UNE VOIE D'EAU...

...LE BATEAU «ROYAL SAINT LOUIS» AURA FINALEMENT QUATRE HEURES DE RETARD !

EXCUSEZ-MOI... EUH, VOUS SAURIEZ COMMENT DISTINGUER UN JUIF?

OUI, PARCE QU'UN CHEROKEE OU UN APACHE, ON VOIT, MAIS LÀ...

C'EST COMME UN AMÉRICAIN, MAIS EN PLUS PESSIMISTE.

C'EST DES SORTES DE FRANÇAIS, QUOI...

J'EN AI DÉJÀ VU À BALTIMORE! ILS SONT BARBUS, TOUT EN NOIR, EXACTEMENT COMME DES AMISH!

SI VOUS DEVEZ EN ESCORTER DANS L'OUEST SAUVAGE, JE VOUS SOUHAITE BON COURAGE! ILS SONT INCAPABLES DE SE SERVIR D'UN COLT...

BON, EN MÊME TEMPS, IL PARAÎT QU'ILS SONT TRÈS CULTIVÉS. VOUS SAVEZ QU'ON LES SURNOMME LE "PEUPLE DU LIVRE"?

EN TOUT CAS, LEUR RELIGION EST UN VRAI CASSE-TÊTE CHINOIS! COMPARÉS À EUX, LES MORMONS SONT DES DANSEUSES DE SALOON...

TÓÓÒÚT!

AH! VOILÀ LE VAPEUR!!

DÉCHARGEZ LES DOUZE CAISSES DE LIVRES AVANT LES HARENGS FUMÉS!

YANKEL, TIENS-MOI LA MAIN!

MOÏSHÉ, DONNE-MOI LE BRAS!

AÏE! AÏE! AÏE!

OUILLE! OUILLE! OUILLE!

* EXCLAMATION YIDDISH DE LAMENTATION.

LES NOUVEAUX MIGRANTS SONT DES PROIES IDÉALES POUR LES ESCROCS SANS SCRUPULE QUI SE PRESSENT À L'EMBARCADÈRE...

"...ET PLUS D'UNE FAMILLE CRÉDULE SE RETROUVE DÉPOUILLÉE DE TOUS SES BIENS DÈS L'ARRIVÉE SUR LE SOL AMÉRICAIN.

VOUS ÊTES SICILIENS ?!

FORMIDABLE, MOI AUSSI ! TENEZ, J'ADORE LA PAÉLLA !

LAISSEZ-MOI PORTER VOTRE BAGAGE, J'AI UN PETIT RESTAURANT AU FOND DE CETTE RUELLE QUI...

GOLIATH ! LAISSE TOMBER CES MACARONIS. VIENS PLUTÔT RELUQUER CE QUE NOUS AMÈNE LE VAPEUR DE QUATORZE HEURES TRENTE !

DEUX VIEUX MORMONS ET DES GAMINS ? MAIS CES GARS-LÀ SONT FAUCHÉS COMME LES BLÉS, NED.

TAIS-TOI IMBÉCILE !

TU NE VOIS PAS QU'ILS SONT ACCUEILLIS PAR LUCKY LUKE ? QUAND ON FAIT APPEL À UN AS PAREIL, C'EST FORCÉMENT POUR UNE BONNE RAISON...

REGARDE LE POIDS DE CES CAISSES ! JE ME DEMANDE QUEL PACTOLE ILS TRIMBALENT !

ON LEUR REFAIT LE COUP DU "FAUX RANCH À VENDRE" COMME POUR LES IRLANDAIS DE L'AUTRE FOIS ?

AVEC LUCKY LUKE DANS LES PATTES, PAS MOYEN DE MONTER UNE ARNAQUE...

ATTENDONS LE MOMENT PROPICE ET SURTOUT, NE LES PERDONS PAS DES YEUX.

OK, J'AI ARRIMÉ LES PROVISIONS DE VIVRES.

IL RESTE DES BAGAGES ?

!

JUSTE QUELQUES LIVRES, MONSIEUR LUKE.

EUH... VOUS ÊTES CERTAINS DE VOULOIR VRAIMENT TRANSPORTER CETTE BIBLIOTHÈQUE DANS LE MONTANA ?!

MON PETIT-FILS A 13 ANS CETTE ANNÉE : UNE FOIS ARRIVÉS À CHELM CITY, ON CÉLÉBRERA SA COMMUNION À LA SYNAGOGUE...

MAIS POUR CELA, IL FAUT ÉTUDIER, YANKEL ?!!

C'EST QUE, SUR LA ROUTE, AVEC LES RIVIÈRES ET LES MONTAGNES À FRANCHIR, LES DÉSERTS ARIDES, LES INDIENS HOSTILES ...

VOUS AVEZ PARFAITEMENT RAISON...

LA TORAH, LES 20 LIVRES DU TALMUD, LE ZOHAR, LA KABBALE, LES 6 TRAITÉS DE LA MISHNA, LE "PIRKÉ DE RABBI ELIÉZER", LES TEXTES DE RABBI NAHMAN, QUELQUES VOLUMES DE TESHOUVOT : ON N'A PRIS QUE LE NÉCESSAIRE !

ALLEZ, COURAGE, JOLLY JUMPER, PLUS QUE 4500 KILOMÈTRES !

"PEUPLE DU LIVRE," "PEUPLE DU LIVRE"...

ILS SE SERAIENT APPELÉS "PEUPLE DE LA PLUME", ÇA AURAIT ÉTÉ MOINS FATIGANT À TRANSPORTER !

UN LAPIN ? BRAVO, YANKEL, TU TE DÉBROUILLES PRESQUE AUSSI BIEN QUE MOI AVEC MON SEPT-COUPS !

À TABLE !

VOUS NE COMPTEZ TOUT DE MÊME PAS CUISINER ÇA POUR NOTRE REPAS ?!

BEN SI, POURQUOI ?

VOYONS, MONSIEUR LUKE, LA CONSOMMATION DE LA VIANDE DE LAPIN EST PROHIBÉE PAR NOTRE RELIGION...

AH BON ?

BIEN SÛR ! LE COCHON AUSSI EST STRICTEMENT INTERDIT...

POUR LES ANIMAUX À QUATRE PATTES, IL FAUT QU'ILS AIENT LE SABOT FENDU ET QU'ILS RUMINENT. ON NE PEUT PAS MANGER NON PLUS DE COQUILLAGES, NI DE REPTILES, NI D'INSECTES, NI LES ANIMAUX PRÉDATEURS...

DONC, PAR EXEMPLE, LE PUMA N'EST PAS AUTORISÉ ?

NON !

LA GRENOUILLE ?

NON !

LE CASTOR ?

NON !

L'OURS ?

NON !

MMM... LE CHEVAL ?

Achdé + Jul

DESCENDS, JOLLY, C'ÉTAIT UNE PLAISANTERIE !

TU AS ENTENDU ÇA, GOLIATH ?! LE VRAI TRÉSOR EST DANS LE PAQUET !

IL FAUDRAIT POUVOIR LES RALENTIR, LE TEMPS DE TROUVER UN MOYEN DE S'EN EMPARER.

DANS QUELQUES JOURS, ILS DEVRONT FRANCHIR LA RED RIVER, ON POURRAIT...

HUM !

HÉ LÀ !!

EUH... DOUCEMENT ...

AH, C'EST VOUS ... VOUS AVEZ UN PROBLÈME ?

OUI, VOUS ALLEZ ME METTRE CES COUVERTURES, MONSIEUR LUKE ! DORMIR DEHORS PAR CE FROID DE COSAQUE... VOUS ALLEZ ATTRAPER LA MORT !

JE VOUS ASSURE QUE...

TATATA... PAS DE DISCUSSION ! ET PUIS JE VOUS AI APPORTÉ UN VERRE D'EAU SUCRÉE, SI VOUS AVEZ SOIF PENDANT LA NUIT.

AH LÀ LÀ... CE QU'IL VOUS FAUDRAIT, C'EST UNE FEMME DE CHEZ NOUS QUI VEILLERAIT SUR VOUS ET VOUS FERAIT LA CUISINE.

SOYEZ HONNÊTE, MONSIEUR LUKE ...

...VOUS N'EN AVEZ PAS ASSEZ D'ÊTRE UN COW-BOY SOLITAIRE ?

18

LES JOURS SE SUIVENT ET LE VOYAGE SE POURSUIT SANS ENCOMBRE DANS LES PLAINES DE L'IOWA...

VOUS N'AVEZ PAS L'AIR TRÈS RESPECTUEUX DES COMMANDEMENTS DE NOTRE LOI... VOS PARENTS NE VOUS ONT RIEN TRANSMIS ?

VOUS SAVEZ, LA SEULE LOI À LAQUELLE JE M'EFFORCE D'OBÉIR, C'EST LA "LOI DE L'OUEST" ET CE N'EST DÉJÀ PAS FACILE...

"... ET PUIS, DE TOUTE FAÇON, JE NE CROIS PAS QUE CES INTERDITS S'APPLIQUENT À QUELQU'UN QUI N'EST PAS DE VOTRE RELIGION, N'EST-CE PAS ?

COMMENT ?! LUCKY LUKE, VOUS N'ÊTES PAS JUIF ?!!

BEN NON.

LUCKY LUKE N'EST PAS JUIF...

ÇA ALORS ?

ET VOTRE CHEVAL NON PLUS N'EST PAS JUIF ?

LUI NON PLUS, HÉLAS...

BON BEN, C'EST PAS GRAVE : JE VOUS GARDE QUAND MÊME !

SOUPIR...

HIIIIIIIII !

19

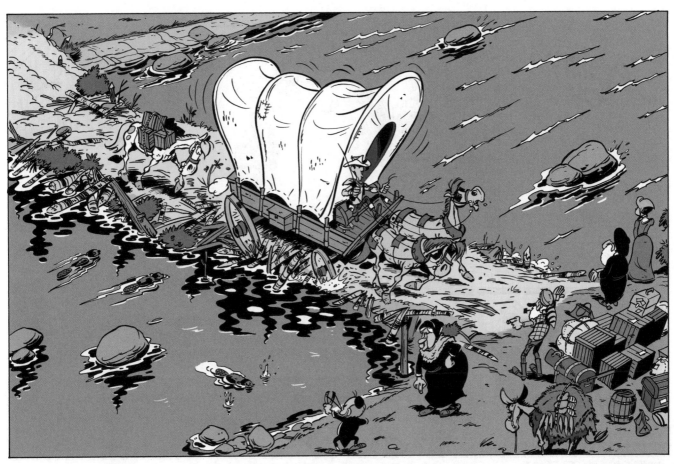

RÉUSSIR À NOUS FAIRE TRAVERSER LA RED RIVER À PIED SEC, C'EST UN VRAI MIRACLE !

MERCI ENCORE, MONSIEUR ... MONSIEUR ?

MOÏSE...

MOÏSE JACKSON.

EH BIEN, CETTE RENCONTRE ÉTAIT UN COUP DE CHANCE !

OUI ... DANS DEUX JOURS NOUS POURRONS FAIRE ÉTAPE À PEACHY POY...

NOUS ESSAIERONS DE NE PAS NOUS Y ATTIRER D'ENNUIS ...

?

PEACHY POY
DU PLOMB ET DES JEUX

PAN!!

ÇA RESSEMBLE BEAUCOUP AUX SHTETLS* DE CHEZ NOUS, TU NE TROUVES PAS, RACHEL?

* BOURGADES D'EUROPE DE L'EST.

EN UN PEU PLUS CALME, QUAND MÊME.

BLAM!

CRÂAC!

CLING!

MAZEL TOV*!

* BRAVO, EN YIDDISH.

YANKEL, HANNA ET RACHEL, VOUS RESTEREZ DANS LE CHARIOT, CE SERA PLUS PRUDENT. NE NOUS ATTARDONS PAS ICI, QUELQUES EMPLETTES ET NOUS REPRENONS LA ROUTE...

C'EST NOUVEAU, ÇA! DES COLONS MORMONS DANS LA RÉGION. ILS SONT VRAIMENT PARTOUT!

COMMENT SAIS-TU QUE CE SONT DES MORMONS?

CHARLES A. THAN
CHIRURGIEN
TOUTES BLESSURES: REVOLVER - FLÈCHES - TOMAHAWK

MOI, LES GENS COMME EUX, JE LES SENS...

PAN! PAN!

ASSEZ DE CHORÉGRAPHIE POUR AUJOURD'HUI ! LA RIGOLADE EST TERMINÉE. DÉGUERPISSEZ !

JE N'AI JAMAIS TROP COMPRIS L'HUMOUR AMISH...

C'EST NORMAL : POUR LE COMPRENDRE, IL FAUT ÊTRE AMISH SOI-MÊME !

MERCI, MONSIEUR LUKE. J'AI L'IMPRESSION QUE CES GARÇONS ÉTAIENT MAL INTENTIONNÉS...

VOUS CROYEZ ?

VOUS AURIEZ PU VOUS FAIRE TRUFFER DE PLOMB, MONSIEUR STERN ! ON EST DANS L'OUEST SAUVAGE, ICI, PAS AU MOULIN-ROUGE !!

JE... JE SUIS CONFUS...

EN TOUT CAS, APRÈS ÇA, JE SUIS D'AUTANT PLUS RASSURÉ DE VOUS AVOIR CONFIÉ NOS ROULEAUX DE LA TORAH...

"... POUR UN TRÉSOR AUSSI PRÉCIEUX, JE N'AURAIS RÊVÉ MEILLEUR GARDIEN !

TING!

RHAAA! ILS ME RENDENT FOU!

ÇA VALAIT BIEN LA PEINE QUE JE ME BRÛLE EN SABOTANT LE PONT!

QUAND ILS PÉNÉTRERONT EN TERRITOIRE INDIEN, IL SERA TROP TARD... IL VA FALLOIR EMPLOYER LES GRANDS MOYENS!

25

27

QUELQUES HEURES ET EMBARDÉES PLUS TARD...

DÉSOLÉ, MAIS IL FAUT NOUS ARRÊTER ICI, MONSIEUR LUKE.

EUH... J'AI PRÉVU DE FAIRE HALTE AVANT LES MONTAGNES, LÀ-BAS.

NOUS SERONS PLUS À L'ABRI EN CAS D'ATTAQUE DE BANDITS...

IMPOSSIBLE: LA NUIT ARRIVE ET NOTRE RELIGION NOUS EMPÊCHE DE VOYAGER ENTRE LE VENDREDI SOIR ET LE SAMEDI SOIR!

QUOI?!

ÇA VA, J'AI COMPRIS; NOUS ALLONS INSTALLER LE CAMPEMENT ICI...

YANKEL, TU M'AIDES À RAMASSER DU BOIS?

AH NON, IL EST FORMELLEMENT INTERDIT DE FAIRE DU FEU!

ON NE PEUT PAS CHASSER, ON NE PEUT PAS FAIRE DU FEU... EST-CE QU'IL FAUT S'ARRÊTER DE MANGER AUSSI?!!

VOYONS, MONSIEUR LUKE, IL NOUS RESTE ENCORE DE LA CARPE FARCIE D'HIER. C'EST TRÈS BON FROID.

YANKEL! VIENS FAIRE TES PRIÈRES!

QUEL VOYAGE!!!

..."ET "JACK LA POISSE" QUI SE LA COULE DOUCE AVEC SES TROUPEAUX DE VACHES!

MANGE, MON CHÉRI!

MANGE ENCORE! C'EST POUR TON BIEN!

JE SUIS TA MÈRE, LUKE!

DES "PISSENLITS", PAPÉ?

ATTENDEZ...

"PISSENLITS" "PISSENLITS" "PISSENLITS" ...

AH! C'EST "SHEN HAARI" EN HÉBREU... MAIS LAISSEZ-MOI VÉRIFIER DANS LE TALMUD.

GNIIIIII! C'EST PAS BIENTÔT FINI CE CIRQUE!!!

D'APRÈS LES PRESCRIPTIONS RABBINIQUES, CELA M'A L'AIR PARFAITEMENT AUTORISÉ...

NOUS SOMMES TRÈS DÉSIREUX DE DÉCOUVRIR LES COUTUMES LOCALES ET MANGERONS BIEN VOLONTIERS DES PISSENLITS AVEC VOUS...

ESPÈCE DE VIEUX...

?!

TING!

PAN!

JE ME DISAIS BIEN QUE J'AVAIS TORT DE VOUS LAISSER SEULS!

J'AI DÉJÀ VU CE COYOTE AU SALOON DE PEACHY POY... TANT QUE NOUS N'AURONS PAS QUITTÉ LA RÉGION, NOUS DEVRONS REDOUBLER DE VIGILANCE...

ET LE SOIR VENU...

EUH... C'EST MOI, C'EST HANNA, MONSIEUR LUKE...

HEM... JE VOUS AI PRÉPARÉ UN SOUPER "À L'AMÉRICAINE"! SALADE DE CARPE AUX PISSENLITS.

?!

Achdé Jul

29

ENFIN, LE DIMANCHE, LE CONVOI REPREND LA PISTE...

POUR ÉVITER DE PERDRE PLUSIEURS JOURS À CONTOURNER LES "WILDCAT HILLS", NOUS ALLONS DEVOIR TRAVERSER CE DÉFILÉ TRÈS ÉTROIT, LÀ-BAS...

MAIS PRUDENCE : C'EST L'ENDROIT IDÉAL POUR UN GUET-APENS...

MONSIEUR LUKE, VOUS ÊTES UN GUIDE PARFAIT !

CETTE FOIS-CI, PLUS DE NUANCES : ON TIRE DANS LE TAS !

PAN! PAN! PAN!

PAN! PAN! PAN!

MOÏSHÉ, LÂCHEZ LES CHEVAUX, IL FAUT S'ÉCHAPPER D'ICI !!

MON CHAPEAU !

PAN! PAN!

ATTENDEZ, J'AI PERDU MON CHAPEAU, IL ME FAUT MON CHAPEAU !

HANNA, PRENEZ LES RÊNES ET FONCEZ !!

ALLEZ! TCHIC! TCHIC!

PAN! PAN!

EUH, ON EST CENSÉS FAIRE QUOI LÀ ?

TROTTER ? GALOPER ?

LE SOIR VENU, NOS RESCAPÉS SE RETROUVENT AUTOUR DU FEU.

POUR FÊTER ÇA, JE VOUS AI PRÉPARÉ UNE CARPE FARCIE!

CATASTROPHE!

MAIS, MOÏSHÉ... JE CROYAIS QUE TU ADORAIS ÇA?

REGARDEZ LA TORAH: ELLE A ÉTÉ CRIBLÉE DE BALLES PAR LES BANDITS!

UN MANUSCRIT VIEUX DE DEUX CENTS ANS...

JE SUIS SÛRE QU'ON PEUT LA RÉPARER, PAPÉ...

MES COUSINS DE CHELM CITY NE ME LE PARDONNERONT JAMAIS!

VOYONS, MOÏSHÉ, L'ESSENTIEL C'EST QUE NOUS SOYONS VIVANTS...

PSSST! YANKEL, VIENS NOUS JOUER UN AIR DE VIOLON POUR RAMENER LA JOIE...

CE VIOLON...

C'EST LA SEULE CHOSE QUI LUI RESTE DE SA DÉFUNTE MÈRE!

CETTE FOIS-CI, PAS DE BOOGIE-WOOGIE AVANT LA PRIÈRE DU SOIR, HEIN!

"A YIDDISH MAME"
'''

ET C'EST LE COEUR PLEIN D'ESPOIR QUE NOS AVENTURIERS REPRENNENT LA ROUTE...

NOUS POUVONS ÊTRE TRANQUILLES, MAINTENANT, AUCUN DESPERADO NE NOUS SUIVRA DANS LE DÉSERT QUI NOUS ATTEND...

OH NON ! REGARDEZ AU LOIN, CETTE COLONNE DE POUSSIÈRE !

MISÈRE ! ILS SONT BEAUCOUP TROP NOMBREUX !

N'AYEZ CRAINTE, MADAME STERN, C'EST UNE PATROUILLE DE LA CAVALERIE AMÉRICAINE !

HALTE !!

AU NOM DU 19E DE CAVALERIE, IL EST DE MON DEVOIR DE VOUS DISSUADER D'ALLER PLUS LOIN ! À PARTIR D'ICI COMMENCENT LES TERRITOIRES OCCUPÉS PAR LES INDIENS BLACKFOOT !

NOUS VOILÀ AVERTIS, COMMANDANT, MAIS NOUS DEVONS CONTINUER COÛTE QUE COÛTE !

MÉFIEZ-VOUS : ILS FERONT TOUT POUR VOUS ATTAQUER EN ROUTE...

JE CROYAIS QUE CETTE TRIBU N'ÉTAIT PLUS SUR LE SENTIER DE LA GUERRE DEPUIS DES ANNÉES...

HÉLAS, NON.

LES "PIEDS-NOIRS" NE QUITTERONT JAMAIS LE SENTIER !

IL N'A PEUT-ÊTRE PAS TORT. VOUS POUVEZ ENCORE RENONCER, VOUS SAVEZ...

VOUS NE VOULEZ TOUT DE MÊME PAS QUE YANKEL FASSE SA BAR-MITSVAH* AVEC UN RÉGIMENT DE CAVALERIE ?!

ON CONTINUE, MONSIEUR LUKE !

AAVAÏ!

C'EST BIEN LA PREMIÈRE FOIS QUE DES JUIFS S'AVENTURENT DANS CETTE RÉGION, MON CAPITAINE...

VOUS DIVAGUEZ, SERGENT. VOUS VOYEZ BIEN QUE C'EST UNE FAMILLE D'AMISH !

DES "COLONS JUIFS" DANS LES TERRITOIRES ?

VOUS AVEZ TROP D'IMAGINATION, SERGENT !

BLACKFOOT TERRITORY
ÉTRANGER NOUS TE DISONS ADIEU

CES PEAUX-ROUGES SONT-ILS AUSSI CRUELS QUE LE CAPITAINE LE SOUS-ENTENDAIT?

LA TRIBU DES BLACKFOOT EST PLUTÔT CONNUE POUR ÊTRE DÉMONSTRATIVE ET CHALEUREUSE...

Achdé & Jul

TCHAC!

ILS VISENT MOINS BIEN QUE LES COSAQUES ...

... MAIS ILS GALOPENT AUSSI VITE!

TOUS À L'ABRI DANS LE CHARIOT!

38

RASSRA, RASSRA HOSBANE HARISSA!

MEKBOUBA?

MELLOUKHIYA CHAKCHOUKA MSOKI MSOKI!

HA! HA! HA!

QUE ME VEULENT-ILS?

JE CROIS QU'ILS SONT IMPRESSIONNÉS PAR VOTRE CALOTTE, MONSIEUR STERN!

HA! HA! VISAGE PÂLE SOUS SON CHAPEAU AVOIR "DOUBLE SCALP"!

LÉGENDE BLACKFOOT RACONTER! ÇA, SIGNE MAGIQUE!

VOUS SUIVRE NOUS, RENCONTRER GRAND SACHEM!

IL A L'AIR AMICAL! MIEUX VAUT COOPÉRER...!

OBROM OBROM SHROUMOUNE BARAKA!

DEPUIS MILLE LUNES, SORCIERS DE LA TRIBU ATTENDRE L'ARRIVÉE DE "DOUBLE SCALP"!

C'EST LUCKY LUKE, UN AMI DE MON FILS, CELUI QUI EST AVOCAT À NEW YORK...

UGH! PEUT-ÊTRE LUI CONNAÎTRE MON PAPOOSE, CELUI QUI EST HOMME MÉDECINE À MIAMI?

SORCIER "CHEVAL-DEBOUT-QUAND-TONNERRE-GRONDE" SE PRÉPARER...

POURQUOI TOI PAS METTRE MASQUE QUE MOI OFFRIR TOI POUR ANNIVERSAIRE?!

TOI AVOIR HONTE DE TA MÈRE !!

MAMAN, MOI ÊTRE EN RETARD !!

TOI VOULOIR MA MORT, C'EST ÇA ?!

AH, VOICI LE SORCIER !

MAKROUD DAFINA ! TRIBU PIED-NOIRE HONORÉE RECEVOIR VISAGES PÂLES; NOS ANCÊTRES AVOIR PRÉVU CETTE RENCONTRE...

DEPUIS TRÈS LONGTEMPS, NOUS CONSERVER PRÉCIEUX TOTEM POUR OFFRIR À DOUBLE SCALP...

TORA TORA PKAÏLA SEMSELINOU!

ÇA... ÇA ALORS !

MERCI, MERCI, IL NE FALLAIT PAS !

?

REGARDEZ, C'EST UNE BIBLE DU XIIIᵉ SIÈCLE RECOPIÉE À TOLÈDE! UNE TORAH MAGNIFIQUE!

SPLENDIDE, EN EFFET !

COMMENT CES ROULEAUX ONT-ILS PU ATTERRIR DANS CETTE TRIBU D'INDIENS ?!

PAR CONTRE : PSSS PSSST PSSST!

BIEN SÛR !

TENEZ, GRAND SORCIER, EN ÉCHANGE, JE VOUS DONNE NOTRE TOTEM À NOUS !

UGH!

MA ZIBELINE DE KIEV !

42

C'EST JOLI MAIS, EUH... TOUS LES JUIFS D'ICI SONT-ILS OBLIGÉS DE PORTER UNE ÉTOILE SUR LEURS VÊTEMENTS ?!

CE MONSIEUR EST LE SHÉRIF DE LA VILLE, MISS HANNA !

RACHEL, MOÏSHÉ ! QUELLE JOIE DE VOUS VOIR ICI ! ET LES ENFANTS, QUELLE MERVEILLE !

UN JUIF SHÉRIF ?! C'EST BEAU L'AMÉRIQUE !!

COUSIN LEVI !

BIENVENUE, COUSIN MOÏSHÉ ! VOUS DEVEZ TOUS MOURIR DE SOIF. JE VOUS OFFRE UN VERRE AU SALOON !

HA ! HA ! HA ! TU ES DEVENU UN VRAI AMÉRICAIN !

C'EST LE PREMIER SALOON KASHER DE TOUT L'OUEST !

PAPÉ ! MAMÉ !

SHABBAT SALOON

ALORS ?! LUCKY LUKE A RÉUSSI À VOUS SUPPORTER ?

JACOB !

JACOB ! MON PETIT RAYON DE MIEL !

IL EST BEAU SON COSTUME D'AVOCAT HEIN, LUCKY LUKE ?!

IL PARAÎT QUE TU AS ÉPOUSÉ LA FILLE DE SALOMON STRAUSS ?

EH OUI !

ON S'EST MÊME ASSOCIÉS ! UNE AFFAIRE DE PANTALONS POUR GARÇONS VACHERS...

"PANTALONS LEVI STRAUSS" ?! ÇA NE MARCHERA JAMAIS !!

D'AILLEURS, MONSIEUR LUKE, PASSEZ DERRIÈRE LE COMPTOIR ET ESSAYEZ-MOI ÇA : TOILE BLEUE DE NÎMES IMPORTÉE DE GÊNES ! ÇA VOUS IRA À RAVIR !

ÇA M'A L'AIR RÉSISTANT... MAIS UMPF !

J'AI L'IMPRESSION QUE J'AI PRIS UNE TAILLE DE CEINTURE EN PLUS !

C'EST BIEN LA PREMIÈRE FOIS QUE J'AURAI PRIS DES KILOS À LA FIN D'UNE AVENTURE !

POP !

Achdé & Jul

45

Charles Moses STRAUSS

D'abord figures exotiques dans le Far West,
les Juifs s'adaptent peu à peu à la culture américaine.
En 1883, Charles Strauss est le premier maire juif élu
par les habitants de Tucson, Arizona.